FAVORITOS

Ilustrado por los Artistas de Libros de Cuentos de Disney y Art Mawhinney
Traducción: Arlette de Alba

Publicado por Louis Weber, C.E.O., Publications International, Ltd.
7373 North Cicero Avenue, Lincolnwood, Illinois 60712
Ground Floor, 59 Gloucester Place, London W1U 8JJ

Servicio a clientes: customer_service@pilbooks.com

www.pilbooks.com

Fabricado en China.

8 7 6 5 4 3 2 1

ISBN-13: 978-1-4127-4736-3
ISBN-10: 1-4127-4736-8

publications international, ltd.

¡Hay muchos juguetes y juegos en la Juguetería de Al! Buzz, Rex y el cerdito han estado buscando a Woody entre los estantes, ¡pero sólo han tenido la suerte de encontrar una guía para derrotar al malvado Emperador Zurg en el videojuego de Buzz Lightyear!

Busca entre los juguetes y encuentra a Buzz, Rex, el cerdito y a más locos personajes que conocieron allí.

Soldado Dirk

Rex

Buzz

Corredor veloz

El cerdito

La muñeca Rhonda

El malvado Emperador Zurg

MUÑECAS
ALICI
ACTIL
NUEVO
BUZZ LIGHTYEAR
BUZZ LIGHTYEAR
EVO
SÉ UN ESPÍA
ANILLO DECODIFICADOR DE ESPÍA SECRETO
ESPACIAL
ALICIA ACTIVA
BLOQUE ROMPECABEZAS
APÍLALOS
PULIDOR DE ROCAS
NUEVO
COMEPERSONAS MORADOS
ESTUCHE
ESTUCHE
ROMPECABEZAS
OFERTA
DE TÉ
ROCAS LUNARES
ROCAS LUNARES
BANCO
EQUIPO PARA HUELLAS DIGITALES
EQUIPO PARA HUELLAS DIGITALES

Esta es la nueva Planta de Risas, y los monstruos están haciendo las cosas de una manera un poco diferente. Se divierten mucho, pero siguen trabajando duro. No todos son cómicos. Echa una mano encontrando estas cosas graciosas para que las usen los monstruos.
SORPRESAS
Flor con chorro de agua
Lata de sorpresas
Cojín flatulento
Tarta para arrojar
Cáscara de plátano
Par de gafas de broma
Nariz de payaso
Flecha engañosa

CÓMO SER CÓMICO
POLLOS DE GOMA
¡TOC, TOC!
¡COSAS MUY GRACIOSAS!
JABÓN
Asqueros
CHISTES
¡PATÉAME!

Hoy es el primer día de escuela de Nemo. Él y su padre, Marlín, acaban de conocer al profesor, el Maestro Raya. ¡Oh, no! ¡Nemo se ha alejado con algunos compañeros de clase! ¿Puedes localizar a Nemo, a sus nuevos amigos de la escuela, a sus padres y al Maestro Raya entre todo este trajín?
Nemo
Perla
Ted
Fil
Sheldon
Bob
Tad
El Maestro Raya

¡En la Isla Palos Locos la acción se ha desbocado! Los Increíbles no se dan un respiro, luchando contra Síndrome y su equipo de guardias. Ahora, tómate un breve descanso del combate para buscar estas frutas tropicales en la isla volcánica.
Una graciosa granada china
Un magnífico mango
Un plácido plátano
Una pacífica papaya
Una guapa guayaba
Una apasionada fruta de la pasión
Un cuidado kiwi
x7
x2
x4
SPAK

x3
x8
¡ZAS!
x5
¡KABUM!
x6
x1

Bienvenido al Café V8 de Flo. Siempre hay muchas golosinas para mantener tu motor ronroneando y tus ruedas girando. A ver si puedes encontrar estos bocados que harán las delicias de tu motor.
REFRIGERANTE FRÍO COMO EL HIELO
Refrigerante frío como el hielo
ACEITE DELICIOSO DE MOTOR
Delicioso aceite de motor
FLUIDO
Fluido para la transmisión
ENJUAGUE
Enjuague para limpiaparabrisas
Anticongelante Escarcha
Anticongelante Escarcha
CERA
Cera para coches
Flo's
V8
PINTURA PARA COCHES
Jabón para coches
COMBUSTIBLE CON SABOR A GOLOSINA
LIMPIADOR DE COCHES
REFRIGERANTE FRÍO COMO EL HIELO
LUBRICANTE

Cafe
CERA
Gasolina
ACEITE
COMBUSTIBLE ORGÁNICO
FLUIDO
JABÓN PARA COCHES
ACEITE DE MOTOR
¡Oferta!
Pulidor
Bujías
FILTROS
¡NUEVOS!
Anticongelante Escarcha
LIMPIADOR
OCTANO
GRASA

Linguini abre la puerta de la cámara frigorífica del restaurante y se encuentra con una sorpresa: ¡ratas! Emile ha conducido a toda la colonia a Gusteau's, y ahora están robando toda la comida en la que pueden poner las patas encima. Observa los estantes de comida para encontrar estas ratas.

El trabajo de WALL•E es limpiar la Tierra. Mientras hace bloques de basura y forma altas pilas con ellos, busca estas piezas de desecho.
Periódico
Pato de goma
Frigorífico
Botella
Extintor de incendios
Carrito de compras
Bota

UY • LARGE
¡DEMASIADA BASURA!
¡LA TIERRA ESTÁ CUBIERTA!

¡Arriba, arriba, muy lejos! Carl y Russell emprenden una aventura a kilómetros de altura, hacia Sudamérica... ¡en la casa de Carl! Mira abajo, a la ciudad, y encuentra a estas personas.
Vendedor de hot dogs
Niñita en un apartamento
Secretaria
Músico callejero
Vendedor de periódicos
Limpiador de ventanas

18

Los juguetes de Andy no encontraron a Woody en la Juguetería de Al, pero hallaron una pista que los conducirá hasta él. Regresa a la juguetería y encuentra estas cosas que podrían ayudarles en su trabajo detectivesco:

Una lupa
Un equipo para huellas digitales
Una cámara de broma
Una caja de disfraces
Un telescopio
Un anillo decodificador de espía secreto

¡La risa es la mejor energía! Vuelve a la Planta de Risas para encontrar a estos simpáticos monstruos que hacen reír a los niños:

Un monstruo cabeza abajo
La sombra chinesca de un monstruo
Un monstruo en un cubo
Un monstruo ventrílocuo
Un monstruo fotógrafo bromista
Un monstruo que usa tutú
Un monstruo que baila claqué
Un monstruo malabarista

Nada otra vez por el arrecife para encontrar estas cosas relacionadas con la escuela:

Piedras con forma de problema matemático
Frasco de tinta de calamar
Macramé de algas
Mapa de Australia

Ahora, ve a la Isla Palos Locos, esta vez para encontrar a estos Omnidroides:

X1
X2
X3
X4
X5
X6
X7
X8